Jérémy est maltraité

*L'auteur remercie
Marceline Gabel
pour sa collaboration.*

Ainsi va la vie

Jérémy est maltraité

Dominique de Saint Mars

Serge Bloch

CALLIGRAM

CHRISTIAN GALLIMARD

7

8

Hé !
on joue au foot ?

D'accord !
Jérémy, tu viens ?

Non, mon père veut que
je rentre tout de suite.

Oh, allez...
il ne va pas
te manger pour
cinq minutes
de foot !

Bon... tant pis,
nous on joue !

Euh... Jérémy...
il travaille...

Oui, il travaille
enfin ! Qui est-ce
encore ?

Euh... je viens chercher
le compas que Jérémy
a oublié de me rendre...

Quoi ? En plus
il vole ? Viens ici
Jérémy ! Qu'est-ce
que c'est que cette
histoire ? Jérémy !

Mais pourquoi ton père est violent comme ça ?

Ma mère dit que son père le battait... Alors il fait la même chose avec moi. Il a vraiment des problèmes.

Mais ta mère ne peut pas prendre ta défense ?

Elle a peur ... et puis elle dit que ça va s'arranger...

En tout cas, toi, JURE-MOI de ne rien dire à personne !

Euh... JE TE LE JURE ! Mais je trouve ça bête.

16

Bon, comment on fait ?

Toi, tu ne fais rien, moi je passe par la fenêtre...

Fais gaffe, Jérémy !

T'en fais pas, Max !

Il faut prévenir quelqu'un...

mais j'ai juré de ne rien dire...

Mais où étais-tu ? Tu sais l'heure qu'il est ?

Excuse-moi... je ne me rendais pas compte...

On t'a cherché partout. Tu seras puni !

Mais d'abord, explique-nous !

BOUUUH !

Quoi, Jérémy ?

Son père le bat !

Comment ça ?
Des fessées ?

Non,
beaucoup plus !

QUOI, IL LE FRAPPE ?

Oui... tout le temps,
très fort et il l'injurie !
Et Jérémy ne veut pas le dire,
il a peur qu'on l'enlève
de sa famille.

Tu as eu raison de nous parler ! Il faut faire quelque chose !

NON ! J'ai juré de ne rien dire !

Mais on n'a pas le droit de laisser un enfant se faire maltraiter ! C'est la loi !

Oui, c'est difficile de se mêler des affaires des autres... mais... il faut que j'aille le voir, ce bonhomme !

Non, s'il te plaît, ne fais rien, et puis d'abord il est très fort !

Tu sais, il ne s'agit pas de se battre, il faut l'aider peut-être, il doit avoir des problèmes...

31

Mais comment ?

En prévenant la maîtresse ou l'assistante sociale, par exemple.

Tiens, monsieur est rentré ? Il a encore fait des siennes ?

Chut !

32

Tu as de la chance que je t'aie laissé du gratin ! J'ai failli tout finir...

Bon, je vois que je suis de trop, ce soir... ça sent le mystère !

Non, non, enfin, peut-être que Max va t'expliquer.

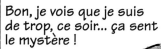

Euh... bon... mais tu ne répètes pas, Lili, c'est un secret ! Tu sais, Jérémy...

33

Jérémy, tu peux rester un instant ? J'ai quelque chose à te dire...

Ça y est, c'est toi qui lui as tout raconté !

Non, ce n'est pas moi ! je te jure que je n'ai rien dit à la maîtresse !

Max, tu peux me laisser seule avec Jérémy ?

Avec la directrice, elle a demandé à l'assistante sociale d'aller chez moi, ce matin...

...elle dit que ça s'est bien passé...

...mon père a accepté de voir un médecin pour parler de ses problèmes !

Pardon, Max, c'est toi qui as eu raison, ça ne pouvait pas continuer...

et je suis ton copain, JE TE LE JURE !

Et toi...

Est-ce qu'il t'est arrivé la même histoire qu'à Jérémy ?

C'était avec des coups violents et répétés, ou des mots blessants, ou les deux ? À la maison ? À l'école ? Ailleurs ?

C'était pour des bêtises, pour tes notes,
ou pour rien ? Et après ça s'arrêtait ?

As-tu pensé que c'était ta faute ou que la personne qui te maltraitait avait elle-même des problèmes ?

As-tu eu peur d'en parler ? Pour ne pas lui faire du tort ? Ou as-tu eu peur d'être encore plus maltraité ?

T'es-tu senti repoussé ? Abandonné ? Est-ce que cela t'a donné envie d'être violent ? Ou de t'enfuir ?

As-tu demandé de l'aide ? À tes parents, grands-parents, amis, voisins, maîtresse, infirmière, psychologue, police ?

As-tu déjà vu un adulte passer son énervement
sur un enfant ? Au lieu de se calmer ? De s'expliquer ?

Penses-tu qu'on peut faire la différence entre une
punition méritée et des mauvais traitements interdits ?

T'es-tu rendu compte qu'un de tes amis était maltraité ?
Lui as-tu tout de suite proposé de l'aider ?

Comprends-tu que quelqu'un qui est maltraité n'ose pas le dire ? Qu'il a honte ou peur ?

As-tu déjà remarqué que des mots peuvent faire aussi mal que des coups, et enlever la confiance en soi ?

Sais-tu qu'il y a des cas où il faut se mêler des affaires des autres et que la loi oblige à protéger les enfants ?

**Après avoir réfléchi
à ces questions
sur la maltraitance,
tu peux en parler
avec tes parents ou tes amis.**